Heinz Holliger
*1939

Kadenzen
Cadenzas

Konzert für Flöte, Harfe und Orchester in C-Dur
Concerto for flute, harp and orchestra in C major
KV 299

von / by
Wolfgang Amadeus Mozart

(1962/1987)

ED 23022
ISMN 979-0-001-20523-8

www.schott-music.com

Mainz · London · Berlin · Madrid · New York · Paris · Prague · Tokyo · Toronto
© 2019 SCHOTT MUSIC GmbH & Co. KG, Mainz · Printed in Germany

für Ursula

Ersteinspielungen / World premiere recordings:

Claves Records, CD 50-208 (1970/1987)
(Aufnahme / recording 1970)
Peter-Lukas Graf, Flöte / flute
Ursula Holliger, Harfe / harp
Orchestre de Chambre de Lausanne
Peter-Lukas Graf, Dirigent / conductor

Novalis 150 023-2 (1988/2003)
Abbey Road Studios, London (GB), 6.-9. September 1987
Jakob Stämpfli, Toningenieur/recording engineer
Aurèle Nicolet, Flöte / flute
Ursula Holliger, Harfe / harp
English Chamber Orchestra
Heinz Holliger, Dirigent / conductor

Vorwort

Improvisierte, aber auch komponierte Solokadenzen, wie man sie vom Schluss einer Bravourarie und den Satzschlüssen von Instrumentalkonzerten kennt, gibt es seit dem späten 16. Jahrhundert. Sie geben dem Interpreten die Gelegenheit zu virtuoser Selbstdarstellung in Form des freien Spiels mit Themen und Motiven des vorangegangen Satzes. Meist beginnen Solokadenzen nach einem Innehalten des Orchesters auf einem Quartsextakkord, bevor der Solist mit dem verzögernden Einschub beginnt und schließlich auf der Dominante, meistens mit einem Triller, das freie Spiel wieder beendet.

Waren Solokadenzen ursprünglich vom Komponisten zur Improvisation freigegeben, wurden sie ab Mitte des 19. Jahrhunderts von vielen Komponisten häufig fest fixiert. Maßgeblich hierfür war vor allem der zunehmende Missbrauch, Kadenzen ohne Rücksicht auf Stil und Impetus des Werkes zur reinen Schaustellung losgelöster Virtuosität zu nutzen. So versagt Beethoven dem Pianisten in seinem 5. Klavierkonzert jegliche Freiheit, indem die auskomponierte Kadenz hier zum integralen, verbindlichen Bestandteil des Gesamtwerkes wird.

Mit dieser bisher einmaligen Reihe stellt Schott Musik International Kadenzen zu bekannten Instrumental-konzerten der Klassik und Romantik vor, komponiert von bedeutenden Tonsetzern und Solisten unserer Zeit.

Preface

Improvised and also composed solo cadenzas, normally occurring towards the end of a bravura aria or an instrumental concerto movement, have existed since the late 16th century. They provide the performer with an opportunity for self-presentation in the form of a free style of playing or singing, based on themes and motifs from previous sections of the movement. Solo cadenzas are for the most part introduced by a six-four chord held by the orchestra; the soloist then begins a protracting interpolation in free style, subsequently culminating on the dominant chord, usually with a trill.

Whereas originally composers left solo cadenzas to be freely improvised, from the middle of the 19th century onwards they were frequently specifically written out. The increasing abuse of cadenzas as a mere display of free virtuosity, ignoring the style and impetus of the composition, played a substantial factor in this development. Thus Beethoven gives the soloist no opportunity whatsoever for free improvisation in his 5th piano concerto in which the cadenza becomes an integral, obligatory component of the complete work.

In this unique series Schott Music International presents cadenzas created for well-known instrumental concertos from the Classical and Romantic periods by major composers and soloists of our time.

Avant-propos

La cadence, improvisée ou composée, que nous connaissons comme étant la conclusion d'un air de bravoure ou d'un mouvement dans un concerto, existe depuis la fin du XVIème siècle. Elle donne à l'interprète l'occasion de mettre en valeur sa virtuosité en improvisant librement sur les sujets et les thèmes du mouvement en cours. La plupart des solistes commencent la cadence lors d'une pause de l'orchestre sur un accord de quarte et de sixte, puis ils insèrent une improvisation libre et la concluent en général par un trille sur la dominante.

Si les cadences étaient à l'origine confiées par le compositeur à la libre improvisation des interprètes, à partir du milieu du XIXème siècle, elles furent souvent élaborées de façon définitive par beaucoup de compositeurs. La raison en fut avant tout l'utilisation de plus en plus abusive des cadences, qui en faisait de véritables exhibitions de virtuosité débridée, ne tenant compte ni du style ni de l'atmosphère de l'œuvre. C'est ainsi que Beethoven, dans le 5ème concerto pour piano, prive le pianiste de toute liberté, et compose lui-même la cadence en en faisant une partie intégrante et obligatoire de l'œuvre.

Dans cette collection unique en son genre, Schott Musik International propose des cadences pour de célèbres concertos, tant classiques que romantiques, composées par des compositeurs et des solistes contemporains remarquables.

Kadenzen / Cadenzas

Konzert für Flöte, Harfe und Orchester in C-Dur, KV 299
Concerto for flute, harp and orchestra in C major, KV 299
Wolfgang Amadeus Mozart

Heinz Holliger
*1939

1. Satz / 1st movement

(1. Fassung / 1st version, 1962)

1. Satz / 1st movement

(Alternativer Anfang - 1987 - für 1. Fassung, 1962 /
alternative introduction - 1987 - for 1st version, 1962)

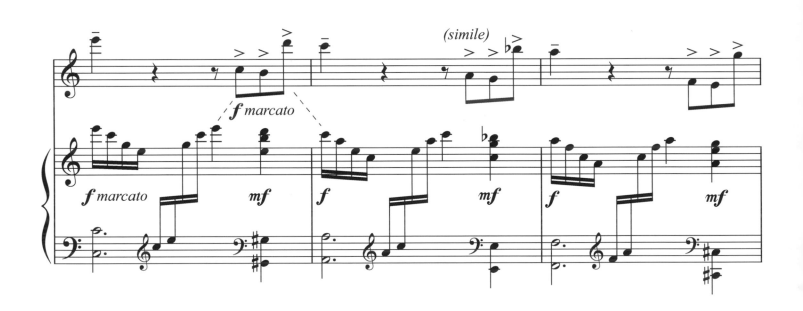

1. Satz / 1st movement
(2. Fassung / 2nd version, 1987)

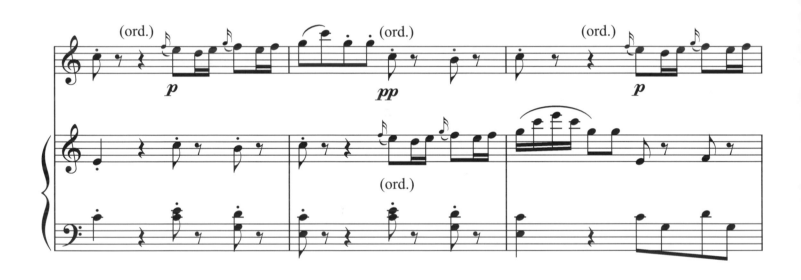

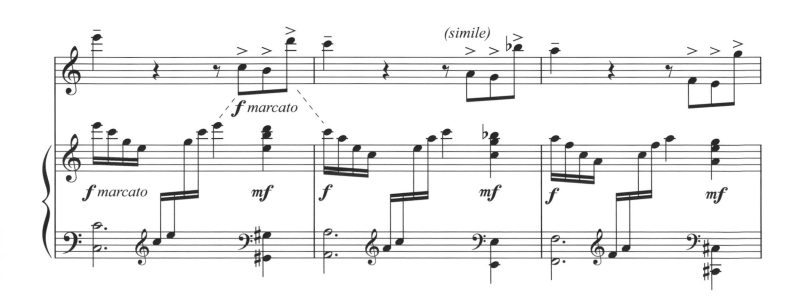

(Orchester)

2. Satz
(1962)

(Orchester)

3. Satz
(1962)

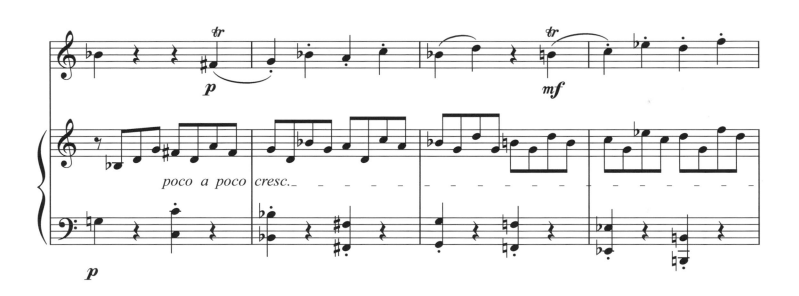

(Orchester)

Schott Music, Mainz 59 358